함께 타고 흐르는 별빛

함께 타고 흐르는 별빛

김도연
김윤선
김태정
나슬기
서도연
양요한
이정원
정영주
최지은

차 례

당신 발 아래 한 조각 별이 되어

김도연

웅이 • 작약 • 자흔 • 작약 II • 흔적 • 자흔 III

신기루 • 생채기 • 12월 • 겨울

김도연

홀로 26개국을 여행하고, 산티아고 순례길을 걷고, 공동체라디오를 12년간 진행했다. 그 무대포 정신으로 서른 넘어 연극을 시작했다. 사람의 선의를 믿는다. 쉽게 상처받기에 누군가의 인생을 더 잘 이해할 수 있고, 또 다른 누군가에겐 위로가 될 수 있다 믿고 싶다.

인스타그램: @/lia_doyeon47
이메일: dy1434@hanmail.net

옹이

한 나무에 나란히 돋아난 우린
언제 이렇게 멀어진 걸까
뻗어갈수록 뿌리를 그리워하는 것이
자신을 깨달은 이의 숙명인지도 모른다.
달라진 삶과 닿을 수 없는 꿈에
살갗마저 저린 낮과 밤이면
평범하고도 소소한, 가진 적 없는 것들이 밟혀
나는 자주 아프고 가끔 울었다.

그러나
스스로의 진액을 양분 삼아
존재만큼의 무게를 지고
고통을 향해 걸어가는 것.
그것이
태양을 향해 손을 뻗는 이의 숙명이라면
이 고독과 아픔을 오롯이 나의 것으로 안고
저 유일한 것을 향해 나아가겠다.

작약

당신께 내 세 번째 봄을 보낸다

기억되고자 하는 본능은
뿌리 내리고자 하는 열망은 이다지도 강렬한데
당신의 사랑은 어느 정도이기에
자신의 이름을 지울 수 있었던 걸까

흐드러지게
피어보겠다
마지막 봄이 떨어지는 날
이 이기적인 이름을 잊어주길

자흔

그럼에도
자신을 파괴하고 싶은 밤이 있다.
아주 작은 온기마저 절실한 밤
스스로의 악취에 질식할 것 같은 밤
먼지 한 톨의 무게도 없이 부유하는 밤
상처를 쓰다듬고 싶은데 눈물조차 사치인 밤
그럴 때 나는 너를 위로한다.
너는 궁금하지 않겠지만 나는 잘 지낸다 속삭이며
이런 내 상처도 누군가를 보듬을 수 있으리라 위안하며.

작약Ⅱ

봄이, 끝났구나.
이제는 알 것 같은데
만개해서 흩어지는 꽃이 있는가 하면
자신의 향기를 간직한 채 말라가는 꽃도 있고
온 힘을 다해 겨우 꽃망울만을 터뜨리거나
봉우리째 시들어가는 꽃도 있음을.
그 모든 게 의미 있음을 이제 겨우 알았는데.

봄이, 흩어졌구나.
다시는 봄이 피기를 기다리며 두근거리지 않겠구나
남은 5월을 확인하며 눈물짓지 않겠구나
애정하는 이들에게 봄을 보내고
꽃향기에 아침을 여는 그들을
상상하지 않겠구나.

마른 작약으로
캔버스를 채우며 생각했다.
찬란하게 피어보지도
화려하게 스러지지도 못하고
말라비틀어진 핏방울 범벅으로
봄이, 바랬구나.

흔적

매일, 매 순간 무너진다.

그러나 삶은 계속되고

바스라진 존재로서 나아간다

상처 입고, 눈물 흘리고,

대부분 실패하고, 가끔 그것을 극복한다

그 결과 새겨지는 수많은 흔적으로

지금의 나는 이전과 다르다.

어떤 날은 더 휘청이고 어떤 날은 더 아파한다

즐거워하거나 몹시 웃는 날을 지나

온몸을 짓누르는 고독에 절망하기도 한다

그러다 작은 온기에 위안받는

수많은 날이 쌓여

삶이 된다.

더 강해야 한다면

마른 땅에 뿌리 내리기 위해

더 넘어져야 한다면

그저 온전히 이 하루를 살아가겠다

그 끝에 마침내 쓰러진다고 하여도

오늘의 나는 어제와 다를 것이니.

하지만,

끝내

다정함을 잃지 않기를

약하고 안쓰럽고 그리하여 사랑스러운

모든 이를 위한 연민을

결코 잊지 않기를.

자혼 Ⅲ

수많은 선의 앞에 발가벗겨진 채

오늘도

나는 무력했다.

나조차 확신할 수 없는 정의는

타인 앞에 무기력하고 나약할 뿐.

나는 스스로의 고통도 억울함도

피로조차도 확신할 수 없었다.

언제나 무지개를 좇았으나 겨우 다가서면 안개였다.

안개는 때론 솜사탕처럼 달콤하게 나를 유혹하고

때론 먹구름으로 몰려와 나를 적셨다.

수천의 벼락과 수만의 빗줄기 속에서

나는 무력했다.

떨어지는 것이 벼락인지, 빗물인지, 핏물인지

또는 그 모든 것인지 모른 채

그저 하염없이 걸었다.

사랑에 굶주린 작은 아이는

자신을 탓하고

당신을 탓하고

인생을 탓하고

세상을 탓하다가

드디어,

상처받기를 포기했다.

눈물조차 흐르지 않는 밤이었다.

신기루

밝은 햇살 아래서 당신과 손잡고 걷고 싶어.
손가락을 마주 얽고 두 팔을 흔들며 콧노래를 부를 거야.
귓가에 머무는 향긋한 바람
색색이 춤추는 당돌한 나팔꽃의 향연
당신 눈 속에 피어난 별 네 개까지
이 세상 모든 것이 반짝이며 빛나는 순간
그때가 오면 당신의 눈을 보며 속삭일게.
아주 오랫동안 이 순간을 기다려왔다고.

포근한 이불 속에서 당신과 아침을 맞고 싶어.
손가락을 마주 얽고 그 어깨에 기대 아침 햇살에 취할 거야.
삐죽하니 솟은 머리
내 영혼을 부여잡는 단단한 팔
당신 목에서 나는 살내음까지
이 세상 어디보다 따뜻하고 안락한 공간
잠든 그대를 오래 바라보며 눈물 흘리다
드디어 당신을 발견하면 속삭여줄게.
나조차 모르게 당신을 사랑해왔다고.

생채기

누군가는 내게 똥통에 빠졌다 했고
누군가는 길을 가다 칼을 맞았다 했다
나는 그저,
교통사고라 여겼을 뿐이다.

어둠이었다.
벗어날 수 없는
끝없이 되풀이되는 어둠
과거와 현재가 맞물리고 뒤엉켜
존재를 삼켜버린 어둠

올바로 뿌리내리지 못한 나는
아픈 게 맞는지 아파도 되는지
억울해도 되는지 억울한 게 맞는지
왜 모든 이의 모든 분노는
나를 향하는 것인지 알지 못한 채
크고 작은 바람에 휘청였다.

오랜 시간
마음이 무너지는 소리를 들었다.
아무리 웅크려 부여잡아도
존재는 부서지고 흩어져
끝내 사라져갔다.

그러므로
나의 존재가 어둠을 뛰어넘는 날 말하고자 한다.
여전히 당신이 행복하기를 바란다고.
다만 당신 안에 나라는 생채기 하나 남기기 위해
이제는 일어나 맞설 거라고.
마침내 나의 존재가 당신을 뛰어넘는 그 날
내 깊은 곳 생채기 하나로만 당신을 간직하겠다고.

12월

야속한 나날이었다.

춥고 고통스러워 늘 배가 고팠다.
가장 먼저 웃음을 잃었고,
다음엔 저녁을, 감정을
생각을
귀를
소리를
잃었다.

하얀 먹구름은 서로 좀먹으며 증식하다 나를 삼켰다.
떼어낼수록 불어나는 파편 속에서
마음조차 지키지 못하는 나날이었다
눈앞의 고통은 거대하고 개인적이라
어떤 관계도, 삶의 방향도
의미를 가질 수 없었다.
간절한 욕망은 어느덧 사그라들고
강은, 일상이 되었다.

무슨 영광을 바라
이 비천한 삶을 이어가는가
고통과 의무,
삶을 두드리는 작은 고동.
이 저울이 기우는 날
한 존재는
어디로
스러지는가

시간은 의미 없이 흐르고
익숙해진 고통에는 무감각해가는데
애써 외면했던 순수만이
가끔씩
가끔씩
소리도 없이
비명을 지른다.

세상이
사람이
인생이
연극이 야속하게만 느껴지는
새벽과 밤

그리고

어둠.

12월이었다.

겨울

유난히 어두운 겨울이었다.
동트기 전 거대한 고요에 전율하며 생각했다
이 어둠을 견딜 이유가 남아 있니
믹서기를 든 팔목이 아파 무서웠고
피에로 가면이 녹아드는 느낌에 진절머리 났다
모욕을 견디는 건 너무나 쉬웠지만
더러는 작은 티끌로부터도 스스로를 지키지 못해
한참을
아팠다.

유난히 눈이 많이 오는 겨울이었다.
눈 덮인 길을 휘청이며 생각했다
다시 일어설 이유가 남아 있니
잇몸이 붓고 입 안이 헐어도 내색할 수 없었고
생명과 인생을 갈면서 나는 작아지고 있었다
마음이 바닥난 날은
1,900원짜리 라면이 야속해 한참을 서성이다
천 원짜리 복권 한 장에 소주 한 병으로
애써 위안을 삼았다.

유난히 추운 겨울이었다.

물안개 낀 강을 보며 생각했다

저 생명력에 눈을 빛내던 소녀는 어디에 있니

나를 살게 한 슬픔이 알약 하나에 스러지고

나를 죽게 한 간절함이 알약 하나에 흩어지고

나를 일으키는 절망이, 나를 무너뜨리는 분노가

알약 하나에 퇴색되는 게

그저

허망할 뿐인데.

비루하고 남루한 내가 못내 비참해서

누군가를 원망하다가

누군가를 증오하다가

누군가를 연민하다가

아

조그맣고 슬프고 안쓰러워 아름다운

모든 이들이

조금만 더 따뜻했으면

조금만 더 행복했으면

조금만 더 웃었으면.

그들을 안아주고 싶은데 그러지 못해서

그런 나를 안아주는 이들이 고마워서

마른 눈을 적시는 환상에 빠지곤 했다.

괜찮다.

괜찮다.

이제 괜찮다.

이제는 살아갈 수 있을 것 같다.

시작 노트 ―✳

길을 걸었다. 900Km가 되는 길. 무작정 등산화와 가방, 침낭을 사서 모든 걸 정리하고 떠났다. 우연히 접하게 된 '인생의 무게만큼의 짐을 지고 걷는 길'이라는 문장 때문이었다. 그저, 궁금했다. 내 인생의 무게는 어느 정도이기에 전 생애에 걸쳐 이렇게 휘청이며 걷는 걸까. 길의 끝에서 그 무게를 납득할 수 없다면 혹은 납득하고 싶지 않다면, 세상의 끝에 모든 짐을 던질 생각이었다. 24살이었다.

길이 끝났다. 어떻게 홀로 그 긴 길을 걸었냐고 누군가 물었다. 소녀는 대답했다. "걷는 건 쉬워. 멈추는 게 어렵지. 멈춰서 자신을, 주위를, 그리고 지나온 길을 돌아보는 것. 더 나아가기 위해, 잠시 쉬어가는 것. 그리하여 지금 여기 오롯이 살아있는 것. 그것이 제일 어려워." 소녀는 몇 차례 위기를 넘기고 나서야 쉬어가는 법을 배웠다.

흐린 땅만 보며 앞으로 향하던 소녀는 고개를 들어 들꽃의 소리를 듣고, 바람의 향기에 취했으며, 아이들의 웃음소리에 춤을 추었다. 길 위에서 누군가 말했다. "너의 미소가 아름다운 건 네 영혼이 깨끗하기 때문이야." 소녀는 그제야 자신이 웃을 수 있다는 걸 알았다. 소녀는 문득 인생의 무게가 그리 무겁지 않을 수 있겠다고 생각했다. 자신은 몸 누일 공간과 커피 한 잔만 있으면 충분히 행복한 사람이니까.

소녀는 여인이 되었고, 어느덧 그 기억을 잊었다. 여인은 자신도 모르게 감당할 수 없을 만큼의 짐을 지고 휘청이며 달리고 있었다. 아니, 온몸으로 기어가고 있었다. 상처투성이 영혼으로, 부서지는 자신을 부여잡으며. 어디인지도 모르는 곳을 향해, 왜인지도 모른 채.

몇 번의 계절 동안 여러 위기를 겪었다. 사람 때문에 아팠다. 보잘것없는 내가 사람을 사랑해서 아팠다. 차곡차곡 쌓여있던 상처와 불안이, 위태롭게 버티던 컵의 물이 흘러넘쳤다. 정의할 수 없는 수많은 감정과 충동들이 나를 휩쓸었다. 바닥은 깊이가 없었다. 끝없이 가라앉았고, 존재는 흩어져 형태도 없이 사라졌다. 온몸으로 비명을 질렀으나 대부분은 듣지 못했고, 사랑과 우정을 말하며 다가온 이들은 그 비명에 돌아섰다.

이 시들은 걸음을 멈추기 위한 고백이다. 너무 노력하지 않아도 된다고. 충분히 잘 살아왔다고. 이미 넌 사랑스러운 사람이라고. 누군가의 말처럼 네가 허락하지 않는 한 너를 상처입힐 수 있는 이는 없다고. 더는 상처 입고, 아파하지 않겠다고. 수많은 낮과 밤 동안 스스로 다독이며 아픔을 뱉어낸 흔적이다. 상처받기를 포기한 자의 절규이다.

그러나 감히,
바라건대,
이 이기적인 시가 누군가의 마음에 닿을 수 있기를.
상처와 아픔을 숙명으로 안고 살아가는 또 다른 소녀와 소년을 위로할 수 있기를.

그리움

김윤선

지나간다 • 밥 공기 • 흔적 • 설거지 • 악수 • 절망

김윤선 1973년 7월 3일 서울출생

현재 두 아들의 엄마이자 글쓰기를 좋아하는 가정주부입니다

지나간다

버스를 타고
창밖을 내다보면
모자를 눌러쓴채
핸드폰을 보고 있는 학생들이
지나가고 있다
커피숍 앞에
사람들이 옹기종기 서 있는
풍경들이 스쳐간다

머물지 않고 지나간다
창 밖으로

창 밖에 꼿꼿하게 서 있는 나무
그 위로 눈이 쌓여간다

나무 위로 쌓인 눈이
나뭇가지 위를 스쳐 지나가면
한지 위에 물감이 스며들듯
꽃이 방울방울 스며들고
맺혔던 방울은 어김없이

그렇게 나무 위를 지나간다

그 위로
초록색 물감이 내려 앉아

또 다시
하얀 눈이 덮여지길
기다리고 있다

그 나무 옆을
나 또한 지나간다

밥 공기

하얀 안개꽃과
노오란 프리지아가
동그란 식탁 위에서
나를 맞이한다

미소 가득 머금은
어머니의 얼굴이
노오란 프리지아와
닮아있다

밥솥 뚜껑이
활짝 열리면
따뜻한 안개가
모락모락 피어난다
식탁위 안개꽃 처럼

어머니는

오로지
나를 위해

갓 지은 하얀 밥을
밥공기에 담으신다
정성가득

나는
두손모아
따뜻한 밥공기를
꼬옥 안아본다

어머니의 마음이
뜨겁게 전해진다
온몸 가득

흔적

거실 한쪽 구석에
오래된 의자에는
지워지지 않는 얼룩들이
물들어 있다

그 의자에 앉아계신
할머니의 얼굴 위로
움푹 패인 고랑들이
넘실거린다

할머니의 따뜻한 시선이
뜰 한쪽 구석에
조용하게 서 있는
나무에 닿아 있다

나무에서
다정한 고랑들이
정겹게 흐른다

초록빛 나뭇잎들이

나무에 패여있는

깊은 주름들을 도드라지게 한다

나무에 깊게 패인 주름들은

할머니의 얼굴위로

흐르는 고랑들과

많이도 닮아 있다

잘려진 나무 밑동 위론

동그란 나이테가

웃고 있다

어릴적

뜰안

이 나무 밑에서

할머니와 함께 하던 추억들이

아련하다

내 기억 속에도

지워지지 않는

얼룩들이

물들어 있고

고랑들이 넘실거리고

동그란 기억들이
빼곡하다

설거지

손잡이가 우아한
아름다운 찻잔
화려한 무늬의
넓은 접시
조그마한 종지

내가
밥을 먹을때도
차를 마실때도
기꺼이 나를 위해
자신의 몸을 내어주고
더러워지길 감수해 준
여러 모양의 그릇들

때가 묻은채
깨끗하게 다시 태어나길
기다리고 있다

몽글몽글한 거품이
그들의 온갖 더러움을
헤집는다

스스로는 어찌 할 수 없어
가만히
찌든 몸을 맡기며
곧은 물줄기를
온몸으로 받아낸다

그들은 이제
눈보다 하얗다

다시 태어난 그들은
나를 위해
자신을
기꺼이 내어준다

악수

바다가 끝없이
손을 내밀면
하늘이 그 손을 감싼다

둘이
마주 잡은 손이
파랗게 물든다

그 사이로
내 시선은
멀리 깊고 파랗다

지금은 볼 수 없는
당신이
끝도 없이 그립다

절망

쏟아져 내린다
시야를 가리는
비와 바람이

우산만으로는
감당 할 수 없다

세찬 비바람이
압도한다 나를

비바람을 온몸으로 느끼며
그 속에
나는 서 있다

곧게 서서 바라본다
내가 가야할 곳을

바라볼 수록
분명해지는 진실 하나

비바람은
언젠가 그치고
나는 여전히
곧게 서리라는 것을

숲사랑 친구들의 사계절

김태정

낮잠 자는 달팽이 • 돌담 위의 담쟁이넝쿨 • 메타세쿼이아의 사계절 • 춤추는 벚꽃
나뭇잎 배 • 내 친구 미시카 • 여러 모양의 나뭇잎 • 숨바꼭질 • 달리기 • 민들레씨와 춤을

김태정

아이들과 농작물을 가꾸러 텃밭에 나가 감자도 캐고 무도 뽑고 주변에 모여 있는 개미 떼를 보면서 땅도 파고 매일매일의 일상생활에서 어느 날 동시 공모전에서 위와 같은 주제로 입선해 경기도 여성가족재단 어린이를 위한 동시 100선에 실리게 되었습니다.

이메일: wn6628@naver.com

낮잠 자는 달팽이

햇빛 쨍쨍 내리 쬐는 여름날
배추밭에 앉아
쿨쿨 낮잠 자는 달팽이

개미가 발로 차도 쿨쿨
바람이 흔들어 깨워도 쿨쿨

지나가던 소나기가
달팽이 집 입구에 시원한 물방울을
뚝뚝 떨어뜨려 주면

달팽이는
더듬이만 올라갔다 내려갔다
눈만 뻐끔뻐끔

느림보 달팽이야
낮잠 깨워서 미안해

돌담 위의 담쟁이넝쿨

봄햇살 가득 담은
담쟁이들이 나들이를 간다

영차영차 아직 멀었니?
한 발 한 발 올라갔다 내려갔다

담쟁이의 작은 손들이
돌담 위를 잡으려 하지만
주르르 주르르
미끄러져 내려간다

발 동동 구르며
매달려 보기도 하지만
주르르 주르르
미끄러져 내려간다

여름날 소나기를 맞은 담쟁이
초록의 싱그러움을 받은 담쟁이

작은 돌담 위로

한 발 한 발 올라갈 때

어느새 담쟁이의 작았던 손들이

커다란 손으로 변해

담쟁이 친구들과

얽히고 설키며

돌담 위를 빙빙 돌고

쑥쑥 올라가

아이들 웃는 모습

자동차 달리는 모습

아름다운 세상을

구경하는 모습에

행복이 넘친다.

메타세쿼이아의 사계절

아~함!

수줍은 듯 기지개를 켜며

고개를 살며시 내민 꽃들

정답게 손잡고 봄을 알린다

한여름 심술쟁이

먹구름 아저씨를 만나면

장대비 소나기를

주룩주룩 뿜어내듯이 뿌려준다

초록의 무성한 잎들도

고개를 흔들거린다

가을하늘 눈 부신 햇살을 받은

메타세쿼이아의 잎들은

형형색색 아름다움의 자태를

뽐내며 자랑한다

쉬! 겨울 숲에서는

어떤 소리가 들릴까?

메타세쿼이아의 열매들이

바닥에 뒹굴뒹굴

하나로 영원한 친구 되어

몸싸움하고 있다

춤추는 벚꽃

봄바람이 살랑살랑
깜깜한 조명에 비친
하얀벚꽃 분홍벚꽃

톡톡톡 팝콘처럼
터지는 꽃망울이 어느새
만발하게 피어

활짝 웃으며
손을 좌우로 흔들고
덩실덩실 춤을 춘다

신호 등불이 노랑색으로 변하면
벚꽃은 노랑 옷을 입고
그대로 멈춰라!

신호 등불이 빨강색으로 변하면
벚꽃은 빨강 옷을 입고
그대로 멈춰라!

신호 등불이 초록색으로 변하면
벚꽃은 초록 옷을 입고

엄마의 손을 잡고
아이는 건널목을 건너고

벚꽃은 그림자를 따라가며
빙글빙글
춤을 춥니다

나뭇잎 배

라은이와 도율이는
장화를 신고, 작은 통을 들고
텃밭으로 산책하러 갑니다

아장아장 걸으며 꽃을 주워 통에 담고
아장아장 걸으며 나뭇가지를 주워 통에 담고
아장아장 걸으며 열매를 주워 통에 담고

빗물에 나뭇잎 배를 동동 띄워 봅니다
빗물에 나뭇잎 배를 둥둥 띄워 봅니다

도율이는 나뭇잎에 작은 꽃잎을 싣고
라은이는 나뭇잎에 작은 나뭇가지를 싣고
두 친구는 나뭇잎에 작은 열매를 싣고

빗물에 나뭇잎 배를 만들어
동동 둥둥 떠내려 보냅니다

내 친구 미시카

엄마 아빠 손잡고 한 걸음 한 걸음
어린이집에 왔어요

선생님 얼굴에 내 마음이 두근두근
친구들 얼굴에 내 마음이 콩닥콩닥

하얗고 까만 얼굴
빨갛고 노란 머리카락

우리 모두 생김새는 다르지만
친구예요

나에게 다가와 방끗 웃으며
블록을 내미는 소윤

나에게 다가와
손을 잡는 아현

내 이마에는 빨간 점이 찍혀있고
내 양쪽 귓불에는 귀걸이가 주렁주렁

너랑 나랑 손가락 색이 달라도
우리는 친구

너랑 나랑 발가락 색이 달라도
우리는 친구

수줍은 듯 작은 목소리로 Hi
살며시 고개 들어
웃는 얼굴로 안녕!

미시카와 나는
다르게 생겼지만
우리는 함께하는 친구야

여러 모양의 나뭇잎

한쪽 눈을 감고
나뭇잎 구멍을 살며시
들여다보니

여러 모양의 손이 보인다
무슨 모양의 손일까?

단풍 나뭇잎 구멍을
살며시 들여다보면
별처럼 반짝반짝
별 모양 손

은행 나뭇잎 구멍을
살며시 들여다보면
하트처럼 두근두근
하트 모양 손

감나무 나뭇잎 구멍을
살며시 들여다보면
과자처럼 동글동글

동그라미 모양 손

나뭇잎 구멍 집에는
별 모양
동그라미 모양
하트 모양 손들이

오순도순 모여서
정답게 살고 있다

숨바꼭질

꼭꼭 숨어라
어디 어디 숨었니

꼭꼭 숨어라
멀리멀리 숨어라

아무도 없네?
모두 어디 갔지?

아기 어디 있지? 까꿍!
텐트 뒤에서 공놀이하고 있네?

엄마 어디 있지? 위잉!
카펫 위에서 청소하고 있네?

아빠 어디 있지? 바스락!
소파 위에서 신문 보고 있네?

꼭꼭 숨어라
어디 어디 숨었니

꼭꼭 숨어라

멀리멀리 숨어도

모두 다 찾았다!

달리기

세차게 바람 부는 날
거미 무당벌레 비둘기가
달리기 경기를 시작합니다.

거미는 개암 나뭇잎에 앉고
무당벌레는 단풍 나뭇잎에 앉고
비둘기는 떡갈나무잎에 앉고

하나, 둘, 셋
뒤에서 세찬 비바람이
밀어주니

비둘기는 떡갈나무 잎에서
뚝 떨어지고

무당벌레는 단풍잎 사이에
대롱대롱 매달리다
뚝 떨어지고

거미는 개암 나뭇잎 사이사이
칭칭 거미줄을 쳐
결승선에 도착

기분 좋은 거미는
개암 나뭇잎에 누워

하늘을 바라보며 둥실둥실
콧노래를 부르며 두둥실

민들레씨와 춤을

바람부는 날
주아와 진후는 어깨동무를 하고
언덕으로 올라갑니다

민들레를 발견한 주아와 진후는
서로 얼굴을 마주 보며
방끗 웃고

후~~하고
민들레 솜털을 불었습니다

진후가 살짝 불은
민들레 솜털은

시골농장 얼룩소 몸에 붙어 간질간질 간지럽히자
얼룩소 꼬리가 흔들립니다

주아가 힘껏 불은
민들레 솜털은

수원 공군 비행장
잔디밭에
19명의 별들이

흔들흔들
낙하산을 타고
내려옵니다

시작 노트 —✳

경기도 여성 가족 재단에서 어린이날 100주년 동시 공모전에 입선을 계기로 주변에서 동시에 재능이 있다는 말을 듣게 되었습니다. 정말 재능이 있는 줄 알고 동시를 직접 배워 보아야겠다는 생각을 가지게 되었고 아시는 선생님의 추천으로 글 에고를 알게 되었습니다.

매주 토요일 6주에 거쳐 시를 배우고 한주 한주 배울 때마다 이렇게도 시를 쓰는구나 이런 시도 있구나 하는 생각을 했고 1:1 피드백과 함께 참여해주신 분들의 합평을 통해 긍정적인 말씀 한마디 한마디에 용기를 얻을 수 있었습니다. 오랜 시간 영·유아들과 생활하다 보니 글의 소재와 주제가 시의 배경이 되었습니다. 영·유아들에게 자율적이고 주도적으로 모든 감각과 지각을 통해 주변환경과 숲이라는 자연환경에 호기심을 갖고 발견, 탐색, 놀이하는 과정으로 학습하다 보니 다양한 경험을 통해 오감을 자극할 수 있는 생태놀이환경, 자연환경 등을 시에서 많이 표현했고 수원새빛형만의 특색프로그램인 전통예절 또한 소·주제가 된 것 같습니다. 작은 소망이 있다면 모든 부모님들과 이 시를 공유하고 싶고 기회가 된다면 영·유들을 위한 개인 시집에 도전해 보고 싶습니다.

꽃은 시들 줄 알면서도 핀다

나슬기

오늘은 • 발걸음 • 그림자 없이 • 등불 • 피어나는 계절, 그 안의 우리

그 해, 여름 • 가을에 피는 꽃 • 홀씨 • 봄의 편지 • 지는 꽃

나슬기

첫인상이 강해 보인다는 말을 자주 듣는 편이지만 그 누구보다 마음이 여리다. 여리디여린 나를 들키지 않기 위해 튼튼한 벽을 쌓아 올리지만, 그 벽은 참으로 물렁하기 그지없다. 한 번 톡 하고 손대면 안으로 끌어들여 내 모든 걸 내어주려는 편이다. 모두를 헤아릴 수는 없어도 내 사람들 만큼은 기댈 수 있는 그런 단단하고도 포근함을 전해주고 싶다.

인스타그램: @na_s2ul

오늘은

포근한 이불 속에서 빠져나와
맞이하는 싱그러운 햇살 같고

술에 잔뜩 취해
새벽 골목 거닐며 마주한 어스 푸름한 기운 같다

출근길 현관문을 열고
들이킨 숨에서 고스란히 느껴지는
나의 오늘

덕분에 내일이 기다려진다

발걸음

첫 발을 내딛던 기억은 나질 않는다
다만 묵묵히 나의 흔적을 남기며 걸어갈 뿐

천천히 선다 쉼표 하나 민니 한숨을 돌리고
빈틈없이 발자국을 남기며 내달릴 때도 있지만

텅 비워진 자리를 마주한다고
나무라지도 재촉하지도 않는다

여백이 주는 그날의 의미도
간직하고프다

그림자 없이

어둠이 드리운 공기조차
몰랐으면 해서
나의 자리를
너에게 내어주고프다

스쳐 지나간다 한들
깊은 마음속 그 빛이 부딪히지 않도록

등불

매서운 칼바람에
흠칫 놀라 뒷걸음질 치고

까아만 어누움에
흠칫 놀라 걸음을 멈춘다

가만히 눈을 감고
귀 기울여 마주한 희미한 등불

한 발, 두 발 가까워져 느끼는 안도감에
숨을 뱉어낸다

그대들을 위해
작디작은 등불을 밝히며 기다릴 테니
그것만 알아줬으면 싶다

피어나는 계절, 그 안의 우리

피어난다

한없이 작은 내가
한없이 나약한 우리가
위태로움 사이에서

피어난다

젖은 땅끝을 딛고 일어나
그 안의 단단함을 마주하며

그 해, 여름

그때부터였다

여름이란 계절은 너가 되었고
너와 하나 되려 안간힘을 씨서
한낮의 햇살에 나를 녹여낸 날

여름비가 내릴 때면
내리는 비가 너인 듯
당연하게 그 비에 나를 적시곤 했다

내리던 비가 그치고
별이 나를 감싸 안으면
이 별 또한 너인 듯
난 또다시 그 별에 가만히 안겼다

더 이상 비가 내리지 않아
갈증에 타버려 바스라 지고
별이 사라진 세상의 어둠은
고요하다 못해 두려움이 되어 나를 잡아먹었다

가을에 피는 꽃

나지막이 인사를 건네봐도
돌아오는 건 고요뿐

모두가 떠난 자리
떨어진 낙엽 하나

조용한 거리에
채워진 우리의 목소리

질투라도 하듯
바람 한 번 일렁이자
보기 좋게 멀어지는 낙엽

질끈 눈 감았다 뜨자
가장자리를 배회하다 걸어 나오는
낙엽 하나

바스라 지지 않게
손에 꼭 쥐며 책 속에 피워본다

홀씨

작고 작은 손에 흙 때를 묻히며
텃밭에서 볼품없는 종이컵으로 민들레 이사를 한다

힘없이 고개 숙인 민들레와
물 한 입, 볕 한 줌 나눠 갖자 하이얀 솜털이 피어오른다

시드는 건 끝이 아니라
나만의 여운을 남기고 가는 것

봄의 편지

난 이 글 속에도 묻어있고
날 떠올리는 그 생각에도 묻어있고
우리가 함께한 추억 속에도 묻어있어

그러니 우린 끝이라 말할 수 없어
언제든 다시 만날 수 있는 사이인 거지

어쩌면, 예전보다 편하게 느낄 수도

아니, 그래 주길 바라

지는 꽃

난 말이야, 항상 괜찮았어
향기에 취해 좋다는 말을 입에 달고 살았지

후회하지 않아, 지금 이 순간에도
왠지 모를 따스함이 내 몸을 감싸 안아
그걸로 충분하지

꽃은 시들 줄 알면서도 핀다는 말처럼
시들면서 다시 그대들의 마음속엔 내가 피어날 테니
잔잔한 미소로 채워지길 바라고 바라

미로 속에도 길은 있으니까

서도연

산새집 • 동무 • 혹주머니 • 갈까, 말까 • 착한 사람

혀 • 지하철 계단 • 고개 숙인 손 • 엘리베이터 문 • 노란풍선

서도연 86년생 키 작은 30대 여성. 일력을 넘기며 아침을 시작하고 나만의 커피로 오후를 반기고 내일의 나를 생각하며 밤을 맞이한다. 좋은 글을 보며 혼자 읊조리는 것을 잘하고, 일상 속 틈마다 발견되는 기억에 웃기보다는 많이 울고, 추억을 그리며 금방 감성에 빠지기도 한다. 너무 많은 생각으로 아플 때가 있지만 단순한 사고는 견딜 수 없는 더 큰 고통이 된다. 건강해지기 위해 시를 쓴다.

산새집

새하얀 스케치북 위 날아든 새 한 마리
서 있을 나뭇가지 하나라도 내어달라 성화다.

크레파스 때 잔뜩 묻혀 가며
문고리 없는
집을 만들었다.

성질 급한 딱새 어느새 들어와 주인처럼 집안 곳곳 돌아다
닌다.
곤줄박이 하나 조용히 뒤따라 들어왔다.
지나가던 눈발도 슬그머니 하얀 얼굴을 들이민다.

키가 작아 속상한 나는
나를 닮아 모자란 집이 창피하다.
그림 없는 심심한 벽 때문에
털방석 없는 맨바닥 때문에
목 축일 물조차 부족하기 때문에
새 한 마리
그 뒤를 따르는 한 마리
꼬리를 바르르 떨며 날개를 파닥이며

매정하게 떠날 것 같다.

산새들이 날 떠나가도

산새들이 날 미워해도

괜찮다.

채우지 못한 집에 초대한 내 잘못이니까

흩날리는 눈꽃에 시린 발 비빈다.

추위를 견디기 위해 문 닫지 않는다.

채우기 위해 문 열려 있다.

산새들은 문 두드릴 필요 없다.

언제든 열려 있는 문이다.

동무

-포미,포포와 나누는 시

까슬까슬 황갈색 털
웃을때마다 길어지는 새빠알간 혓바닥
세상소리 다 주워담으려 눈보다 큰 귀를 가졌나보다.
늘 마음이 제일 먼저 앞서는 짧은 네 다리
빨리 가지마 포미야. 오래오래 멀리멀리 함께 가자.

곱슬곱슬 연갈색 털
무서울때마다 헥헥 장단에 맞춰 그르렁대고
세상일 다 무심해 두 귀 덮어버렸나보다.
늘 두렴이 제일 먼저 따르는 긴 네 다리
도망가지마 포포야. 오래오래 멀리멀리 함께 가자.

욕심 많은 포미야,
겁 많은 포포야,
함께 산책가자.

앞만 보고 달리다가는 숨차니까 잠시 앉았다 가자.
한쪽만 보고 걷다가는 길 잃으니 잠시 앉았다 가자.
목 마르니 물도 나눠 마시자.

그리고 못난 내게 네 손을 내어줘.

넘실대는 노을

드넓게 펼쳐진 풀밭 위

풀복숭이 포미 춤추고

우렁찬 포포 콧노랫소리에

행복을 답하지 못해 안타깝다.

사랑하는 내 동무들아

함께 손 꼭 붙잡고

이제 그만 집으로 돌아가자.

혹주머니

엄마의 주머니가
터질 듯이 부풀어 올랐다.

태산같이 채워진 혹주머니는
돈주고도 사기 싫은 지방이다.

몹쓸 지방이 넘쳐나는 씁쓸한 부자는
억지로 부푼 것을 떼어내고도
생살을 도려내야하고
생피까지 덜어내야
제 상태로 돌아갈 수 있단다.

두툼하게 많아보여
따뜻할 줄 알았는데
때려도 때려도 안아플 줄 알았는데
시린 아픔에 진하디 진한 멍꽃이 폈다.

코 끝에 쥐가 난다.
부자를 꿈꾸다
텅 빈 가난뱅이 주머니가 부럽게 됐다.
눈에 쥐가 난다.

갈까, 말까

초록불

노란불

갈까, 말까

망설이다가

애매하게 됐다.

고장난 것만 같은 신호등

빨간불만 켜져있다.

깜빡임 조차 없는 싸늘한 신호에

브레이크에서 발을 뗄 용기를 점점 잃어간다.

나를 내평겨친 신호가 야속하다.

가속 페달 밟지 못해 때놓친, 갈까.

경고등 앞 불편한 정지, 말까.

망설이다가

애매한 차가 됐다.

서글퍼 목놓아 울었다,

차가 가라앉는다.

신호가 사라진다.

착한 사람

착한 사람이라고 했다.

착해서
여려서
몰라서
당하기만 한단다.
남들이 우습게 본단다.

여태 착하게 사는 줄 몰랐다.
내 것이 한 순간에 남의 것이 되고
내 말이 한 순간에 남의 말이 되고
내가 알던 사람이 한 순간에 모르는 사람이 됐다.

많이 잃고 놀라서
자주 우는 사람이
착한 사람이라면
여태 착하게 살아온 것이 분명하다.
착한 사람이
남에게 당하지 않기 위해
남에게 우습게 보이지 않으려면

무엇을 해야 할까.

아무리 슬퍼도 절대 울지 않는 단단한 마음으로 성형을 할까.
모두가 배우려하지만 나만 학습할 수 있는 욕과사전을 만들까.
아니면 무인도에 살고 있다고 생각할까.

외롭기 싫어서 착하게 살았는데 점점 더 괴로워졌다.
이제는 차라리 외롭고 싶다.
그저 묻어두란 과거 다시 다 꺼내어 진절머리가 날 만큼 곱씹다가 혼을 모아 다 태워버리고,
부탁과 거절 모두 멀어질 수 있는 관계를 고민하고,
전하지 못한 말, 숨기려 한 말, 때론 욕까지 모두 후회없이 내뱉고 싶다.

세상에서 가장 고독한 여행을 하고 싶다.

혀

살짝 보기엔 작달막한 살덩어리
깊숙이 들여다보면 질기디질긴 근육 덩어리
혀가 쉴 새 없이 움직인다.

떠올라 내뱉는다.
숨을 내쉰다.

들은 대로 내뱉는다.
숨을 내쉰다.

듣지 못해 내뱉는다.
숨을 내쉰다.

시궁창 냄새가 코를 찌르고
그냥이 왜를 잡아먹고
달팽이관이 지겹도록 어지럽다가
간지러워 긁어내니
여기저기 흩뿌려진 말들
숨을 고른다.

붉게 달아오른 목덜미 속
날카로운 진동이
관자놀이 콕콕 비집고 들어오는 통증이 되고
양철 갑옷 사이 뚫고 들어오는 창살 같은 저주가 되어
기억 회로의 고통 전원이 켜진다.

세 치 밖에 안되는 그것이
순간의 사고처럼 찾아와
평생 아물지 않는 상처가 된다.

지하철 계단

한 층
한 층
겹겹이 지하철 계단을 오른다.

따분한 계단로에서
담소 나눌 동무 하나 없다.

한 층
한 층
겹겹이 지하철 계단을 오른다.

앞만 보고 오르다가
옆을 힐끗 바라보았다.
그와 눈이 마주치고
아래의 그녀와 눈이 마주치고
아래의 아이와 눈이 마주치고
그들의 무뚝뚝한 뒤통수를 바라본다.
여유로운 산 같아 보이던 그가
나무 껍질 같이 갈라지고 있었다.
깔깔대던 그녀의 뒤가

허공에 홀로 떠 있었다.
마스크에게 곧 잡아 먹힐 것 같던 아이의 뒤가
왠지 모르게 걱정스럽다.

겹겹이 계단을 오르다가
내려다 본다.

공기가 나를 어지럽히고
스쳐가는 눈들이 나를 밀어내지 못해 안달이다.
계단을 오르는 얼굴이 보이고
그 얼굴과 내 눈이 마주친다.

올라온 만큼 남은 계단들이 애증스럽지만
풀어헤친 머리 다시 묶는다.
코트 어깨에 붙은 장식이 추레해보여 떼버렸다.
조금 달라진 뒷매무새로 층층이 멀어진다.

어느새
꼭대기 층이다.

고개 숙인 손

인간무리
토해낼 때 마다
빨아들일 때 마다
지하철이 들썩인다.

지하철 품에
용케 기어들어가 안겼다.
빼꼼히 삐져나온 눈으로
고개 춤을 추는 그를 보다가
이내 고개 젖힌 그가 시시해진다.

시시한 그 옆에 고개 숙인 이가 궁금하다.
고개 숙인 그 옆에 고개 숙인 이가 궁금하다.
고개 숙인 그 옆에 또 고개 숙인 이가 궁금하다.

고개 숙인 손들마다 네모난 상자가 달렸다.
손 바늘이 부서질 것 같다.
붉은 실타래 감겨 굵은 눈물이 터질 것 같다.
아무도 모르는 소리가 귓바퀴 빗장에 걸려 맴돈다.
고개 숙인 손들마다 네모난 상자에 눈과 귀가 닫혔다.

땅이 부르는 소리에
허리를 펴고 고개를 든다.

손 안에 네모난 상자가 부르는 소리에
눈과 귀가 대답하고
눈과 귀가 닫힌다.

고개 숙인 손들은
땅이 부르는 소리를
듣지 못한다.

손 안 네모난 상자에
눈과 귀가
닫혔다.

엘리베이터 문

볼 때마다 째려보는 엘리베이터
오늘따라 유달리
양 볼 재빠르게 부풀어 오른다.

짧은 다리 하나 집어넣고
애교있는 손인사 건네본다.

불이 켜진다.
입이 터질 것 같다.
그닥 신나지 않는
징검다리 건널 준비를 한다.

불이 켜진다.
용기가 없는 건지
아님 싫은 건지
움직이는 이 한 명도 없다.

한 숨이 들린다.
뿔 섞인 한 숨이 들린다.
불쾌한 하품에 입이 벌어진다.

엘리베이터 문이 닫힌다.

나도 모르게 벌어지는 입을 가리자
17층을 누른 손가락이 미안하다며
17시간 걸리는 먼 곳은 아니라며
엘리베이터도 숨을 쉬어야 할 것 아니냐며
위로해준다.

불이 켜진다.
엘리베이터 입이 찢어진다.
짧은 다리 긴 다리 아슬아슬하게 뒤얽혀있다.
지금 내려야하는 이한테는 모든 것들이 징검돌일테다.
한 숨 쉬던 이들이 함께 서로를 밟는다.
엘리베이터가 크게 숨을 쉰다.

17층에 혼자 내린다.
엘리베이터가 안쓰럽다.

노란풍선

나와 네가 공기를 파고 찌르며
노래 부르던 무대가 잿빛이 된다.

샛노오란 풍선을 불어 서로를 찾는다.
길고도 짧은 말풍선들이 여기저기 터진다.
춤추는 말 때문에 웃다가도
물음표 가득한 말 때문에 다툼이 생긴다.

너와 내가 함께 하지 않으니
숫자 일이 우리 둘의 오해를 가득 담고
각자의 시간이 기록으로 남는다.

너무 지쳐 그만 불고 싶다.
너무 그리워 이제 부르고 싶다.
다시 너와 마주보며 노래 부르고 싶다.

시작 노트 —✳

난 지독한 길치이다.
이미 지나가본 곳도 처음으로 가보는 것 같은 느낌이 드는 신기한 경험을 왕왕 겪는다. 친절한 네비게이션의 도움을 받아 운전하는데도 도보로 이동하는게 차라리 속 편할 것 같다는 생각을 하고, 버스를 타면 잘못 내리기 일쑤다. 이렇다보니 시행착오에도 익숙치 않다. 늘 새로운 기억이고 아픔이고 상처이다.

지금도 몇 번째 헤매는 길인지 모르겠다.
시간이 지날수록 무모한 방황에 대한 두려움도 더욱 커진다. 내 볼품 없는 글솜씨로 번듯한 지도를 그릴 수는 없겠지만, 길을 잃을 때마다 내가 어디에 있는지 기록하려 한다. 지난번에 지나쳤던 길과 비슷한 길인건지 아님 새로운 길에 놓인 건지, 또 다른 갈림길 앞에 서서 선택을 해야하는지, 순간 그 길을 기억하기 위해 내가 어떤 모습을 하고 노력을 했는지에 대한 모든 이야기들이 시가 되어 남는다. 그래서 내 시는 그동안 내가 헤메온 시간의 안내서이기도 하다.

〈산새집〉

유치원에서 부모님을 초대해 그림 그리는 시간을 가진 적이 있었다. 아빠의 직장이 집에서 멀어 잠시 떨어져 살았던 때인지라 그 시간은 오랜만에 가족끼리 유치원에서 모임을 가지는 듯한 기분이었다. 가장 뿌듯했던 것은 형편없는 그림 실력이었지만 내가 처음으로 우리 가족이 함께 있는 집을 그렸다는 것이었다. 어느덧 내가 그때의 부모님의 나이가 됐다. 서글픈건 아직 그림을 그려 집 선물을 하던 5살짜리 아이에서 벗어나지 못했다는 것이다. 부족해서 모자란 것이 들킬까봐 버려질까봐 떠나기도 하는 나는 비겁한 자식이다. 하지만 변하지 않는 마음은 가장 형편없을지언정 내 최선의 선물 수신인은 부모님이란 것이다.

〈동무〉

사랑하는 내 반려견 포미와 포포와 산책을 할 때마다 느꼈던 것들을 담은 시이다. 욕심을 내어 작곡도 할 수 있다면 포미와 포포에게 노래로도 만들어 들려주고 싶은 소망이 있다. 직접 언어로 대화를 나눌 수는 없지만, 그동안 함께 살아오면서 눈으로 마음으로 소통할 수 있는 친구들이기에 〈동무〉라는 시를 선물하며 또 하나의 소중한 추억을 함께 나누고 싶다.

〈혹주머니〉

지방종 제거 수술로 엄마가 병원에 며칠 간 입원하신 적이 있다. 엄마의 부어 오른 허벅지는 꼴보기가 싫었고 엄마가 너무 미웠다. 걱정이 되었지만 '엄마가 아프다.' 라는 사실 자체를 거부하고 싶었던 것이 더 큰 마음이었던 것 같다. 아직 나한테 엄마는 지금 엄마의 나이가 아니다. 흰 머리가 예전보다 훨씬 많아도 셈이 느려져도 나한테는 젊은 엄마이기 때문이다. 좀 더 일찍 병원에 가보았다면 그렇게까지 큰 수술이 되지 않았을 텐데 가족들의 건강 관리에는 과민한 엄마가 정작 본인 관리에는 그토록 둔한 것이 너무 속상했다. 늙어가는 것이 너무나도 확실해 보이는 '병'을 키워온 엄마에게 부렸던 딸의 '화'가 어쩌면 내 자신한테 쏟아내고 싶었던 감정이 아니었을까 싶다.

〈갈까, 말까〉

운전을 할 때 초록불에서 노란불로 변하고 빨간불이 되기 전에 내가 결정을 해야하는 상황에 놓인다. 초록불일 때 신나게 달리다가 노란불에서 빨간불로 넘어가는 그 순간 내가 어떤 결정을 내리게 되느냐에 따라서 다음의 내 모습이 위험한 결단력을 가진 사람이 되기도 하고 아니면 안전한 바보가 되기도 한다. 가끔 애매한 정차를 하게 될 때 내 우유부단한 모습에 속상한 적이 있다. 생각해보면 지금껏 망설인 선택에서 난 대부분 안전한 바보가 되었던 것 같다. 시를 쓰며 '새로운 운전을 해봐도 되지 않을까...' 라는 생각을 했다.
갈까, 말까에서 갈까로.

〈착한사람〉

착하게 사는 것이 마냥 좋은 것만은 아니라는 생각에 착안하여 이 시를 쓰기 시작했고 많은 퇴고를 거쳐 완성했다. 타인에게 좋은 사람, 착한 사람으로 보이기 위해 노력하는 나는 반대로 내 자신에게는 이 세상에서 제일 가혹한 사람이 된다. 나를 아끼고 사랑하지 않고, 남을 위한 사람으로 맞춰가는 사람이 되는 것이다. 이 세상을 정말 혼자 살아갈 수 없는 것을 알고 있지만, 때론 실제로 많이 존재한다는 무인도에 배낭가방 하나 메고 한 번쯤 가고 싶다는 생각을 한다. 나만을 오롯이 생각할 수 있는 곳으로 떠나는 여행, 멋지지 않은가.

〈혀〉

인간은 생김새는 다를 수 있어도 같은 기능을 하는 신체 기관을 가지고 태어난다. 입 안의 혀도 그 중에 하나인데 제각기 그것을 어떻게 사용하는지에 따라 성격과 성향이 구분된다. 누군가의 말은 아주 짧게라도 상대에게 긴 말보다 더한 욕처럼 들릴 수 있고, 비열한 사람들은 없는 말을 지어내고 덧붙이며 말 괴롭히기를 좋아한다. 〈혀〉는 무섭고 이기적인 말들이 난무할 때 나를 돌아보며 쓴 시이다. 그동안 내가 경멸했던 사람들과 같은 언어를 쓰고 있지는 않은지, 너무나도 싫어했던 사람들의 모습과 같은 모습으로 말을 전달하고 있지 않은지 말이다.

〈지하철 계단〉, 〈고개 숙인 손〉, 〈노란풍선〉

모두 지하철로 통근할 때 마다 기록했던 감상과 생각을 모았다. 〈고개숙인 손〉은 지하철을 타고 가던 어느 날, 건너편에 앉아있는 모든 사람이 고개를 숙인 채 같은 자세로 손에 쥔 핸드폰만 보고 있기에 그 모습을 관찰하며 쓴 시다. 〈지하철 계단〉은 에스컬레이터 대신 계단을 선택하여 끝까지 오른 나에 대하여, 〈노란풍선〉은 메신저 소통에 관한 시이다.

〈엘리베이터 문〉

특정층에 내릴 사람들이 많았던 그 날, 엘리베이터 안에서 많은 사람들이 내쉬는 한 숨 소리가 재미있기도 한심스럽기도 하여 그 일화를 바탕으로 쓴 시다. 답답한 엘리베이터의 움직임에 동지의식을 느끼며 같이 한 숨을 쉬다가 내릴 때가 되니 한 순간에 서로의 발을 밟아도 모른척 하며 내리는 사람들의 모습을 봤다. 다행히 내 층에는 나 밖에 내릴 사람이 없었지만 함께 내릴 사람들이 있었다면 반사적으로 내 발끝을 모았을 것 같다. 생각해보면 별 것 아닌 것으로 화를 내는 일이 있다. 처해 있는 그 순간 만큼은 힘들어 질식할 것 같기도, 짧은 순간이 영원처럼 느껴지기도 한다. 별 것 아닌게 별 것처럼 느껴지는건 왜일까. 나는 아직 여유가 없는 사람인 건 확실하다.

Vol.((8)곱하기(90도))

양요한

내 마음의 봄 • 달이 쓱싹 • 희망의 편지 • 눈꽃

대나무 • 딱따구리 • 비 • 별 • 양파 • 차

양요한
2002년 9월 23일 서울출생
글쓰기를 좋아하는 대학생

vol.((8)곱하기(90도)) 2
vol.1 〈양요한(梁曜瀚) 문학선〉

내 마음의 봄

봄은 시작이요 겨울의 끝이다

내 어른의 삶은 지금이 시작이요
나를 찾아갔던 겨울은 그 때가 끝이다

나의 삶을, 존재를, 싹을 틔움을
축복이라 여기고

무엇이 태양인지 찾아가 본다

때때로 비닐하우스에 걸린 조명을
태양으로 착각하고
그 방향만으로 뻗어나갔음을
자각하였을 때

나는 내가 싫었다

하지만,

그럼에도,

불구하고,
비닐하우스의 비닐마저 뚫어
햇빛을 찾겠다는
웃기고도
심각한
나의 공명을 들었을 때

나는 그저 고마웠다

vol.((8)곱하기(90도)) 2
vol.1 〈양요한(梁曜瀚) 문학선〉

달이 쓱싹

성냥개비로 별을 켜고

원고지라는 궤도에

달을 잡고 운석을 지운다

아,

나는 지구인가 보다

밤하늘의 달을 손으로 안아본다

희망의 편지

나는 지금 미래의 나에게
편지를 쓰고 있다
하지만,
그것은 참으로 어려운 일이다

일단, 미래의 내가 어디로
튈지 모르기 때문에,
내가 무엇이 될지 모르기 때문에
내가 행복할지,
불행할지,
불확실하기 때문에,

그러니, 내가 미래의 나에게
보낼 수 있는
최선은 단 하나

마음속에 열정이라는 나침반을 들고
많은 것을 경험하고픈

호기심이라는 이름의 돛단배를 타고

인생이라는 바다를

행복하게 항해하기를 빌 뿐

눈꽃

꽃잎들 사이로

안과 밖 없이

꽃잎들과 꽃받침들과

줄기들과 뿌리들 사이로

왼쪽 오른쪽 없이

위 아래 없이

꽃잎들과 꽃받침들과

줄기들과 뿌리들 사이로

가지들과 잎사귀들 사이로

빛과 어둠 없이

꽃들에 맺혔던 죽음의 눈들

처음과 끝 없이

vol.((8)곱하기(90도)) 2
vol.1 〈양요한(梁曜瀚) 문학선〉

대나무

대나무가 자라지 않던 풀밭에

대나무 씨앗을 기르고 싶었던

나는 그녀에게 끌렸다

펜촉 반대쪽으로

펜을 끼고 흐느끼듯

친구들에게

난 죽순 같았다

노을을 받으며 대나무의 세포 같은

그늘을 젖히고 펴던 날들보다

늦게 잠들기도 했다

지금의 내 나이처럼

이부자리에서 大자로 누워 있었다

딱따구리

나무에 부리로

구멍을 낼 때

눈꺼풀이 없으면

속이 울렁대는

딱따구리

눈이 멀면 이리저리

부딪히는 딱따구리

눈이 멀쩡할 때

눈꺼풀이 잘 감길 때

나무에 부리로

구멍을 내며

눈을 감는 딱따구리

vol.((8)곱하기(90도)) 2
vol.1 〈양요한(梁曜瀚) 문학선〉

비

밖에는 네가 있고

비가 내리고 있다

여러 색으로

여러 운동으로

여러 생김새로

다시 쓰이고

다시 지워지고

너는 천문학자다

그러나 나는

너에 대한 흥미다

vol.((8)곱하기(90도)) 2
vol.1 〈양요한(梁曜瀚) 문학선〉

별

일하고 있지 않아도

은하가

바퀴 같았다

톱니가

현상 같았다

현상이

톱니 같았다

구르고 있던 사물들

바퀴가

은하 같았다

vol.((8)곱하기(90도)) 2
vol.1 〈양요한(梁曜瀚) 문학선〉

양파

점액질이 있던

둥그런 쪽지 같던

심지가

타임캡슐 같던

둥그런 상자 같던

껍질에 담겨 있었다

익어가는 냄새가 나며

심지와 껍질이 볶였던

아직 싹이 나지 않던

양파 같던

vol.((8)곱하기(90도)) 2
vol.1 〈양요한(梁曜瀚) 문학선〉

차

한 곳에 섞인 찻가루와 물이 데워지며 울고 있다 작은 소리를 내며 젖은 풀 질감을 내며 흐린 풀 색깔을 내며 신선할 때 더 뚜렷했을 냄새를 내며 뜨거울 때 더 우려졌을 맛을 내며 울고 있다 작은 소리를 내는 울음을 젖은 풀 질감을 내는 울음을 흐린 풀 색깔을 내는 울음을 신선할 때 더 뚜렷했을 냄새를 내는 울음을 뜨거울 때 더 우려졌을 맛을 내는 울음을 울고 있다

나는 여기서부터
다시 시작하기로 했어

이정원

이정원

음악 듣기, 책 읽기, 일기 쓰기와 여행을 좋아합니다. 도시에서 태어났고 도시 노동자로 살고 있습니다. 시와 삶의 균형을 잃지 않으려고 노력하지만 실패할 때가 많습니다. 자주 세계에 대해 생각하고 그럴 때마다 낯선 시간과 장소로 이동하는 경험을 합니다. 장래 희망은 어디서든 미치지 않고 잘 살아남는 사람이 되는 것입니다.

인스타그램: @_iamgardenn

이메일: iamgardenn@gmail.com

이상하지 않은 세계

저 개와 함께 산책하는 남자 이상하지 않다 나뭇잎 뒷면에 비치는 그림자 이상하지 않다 오늘 하루 내가 일한 것들 이상하지 않다 도심 속 공원이 이상하지 않다 누군가에게 전화 걸고 싶은 마음 이상하지 않다 이름을 떠올리려 애쓰는 것 이상하지 않다 걷는 사람들이 이상하지 않다 도서관에서 책장 넘기는 소리 이상하지 않다 퇴근 후 만든 요리가 이상하지 않다 흐르는 물방울 이상하지 않다 찌그러지는 컵이 이상하지 않다 식물은 조용하고 지난 몇 년간의 생활 이상하지 않다 애써 떠올린 적(敵)이 이상하지 않다 나보다 긴 의자 이상하지 않다 긴 개가 이상하지 않다 손가락이 기울어지는데 이상하지 않다 나는 문득 신맛을 내고 종이 울린다 이상하지 않은 세계와 함께 눈을 감았다

안부 - K에게

저는 비둘기가 많이 사는 도시에서
유령처럼 살고 있습니다

산책로에는 이름 모를 무덤과
집까지 따라왔던 나뭇가지 몇 개

누군가의 기념사진에 찍힐 때도 있었습니다
어디에 실릴지도 모르고
순순히 웃어주었습니다

내 것 아닌 일들이
자꾸만 늘어갑니다

주소 없는 편지를
당신께 부칩니다

원형 공원

돌파해야 한다고 생각한다 무엇을 돌파해야 하는지도 모르면서 이 공원의 끝까지 가야 한다고 생각한다 공원은 기다랗고 공원은 수상하고 걷는 일은 내가 가장 길어지는 자세 도시가 심어놓은 공원 얌전한 공원 밤에 제일 사람이 많은 공원에서 나도 가장 문전성시를 이루고 육교 위에서 나의 적과 그런 건 환상에 불과하다는 마음에 대해 생각한다 공원은 시시각각 흩어지지만 밤새 파헤친 눈사람만은 뚜렷하게 남았다 차가운 손발은 내가 살아있다는 증거 의심 많은 셔틀콕과 냄새 맡는 개에 대해 생각한다 아무것도 발생하지 않은 하루에 대해 어둠은 너무나 넓어서 무대를 드리우는데 나는 어둠이 만들어 낸 꿈인가 공원의 끝에서 광장을 만나면 나는 비로소 내가 돌아가야 한다는 걸 깨닫는다 사람들 속에서 사람들 밖으로 길게 뻗은 웅성거림 밖으로 여기는 무엇이었을까 가짜라는 건 가장 평화로운 계획일 지도 안과 밖은 너무나 힘이 세서 깨고 난 뒤엔 꿈을 꿨다 믿고 말테지만

물 마시기

인간은 인간을 떠날 만치 미워하는 말을
단 한 번도 해본 적 없다
갇혀 있기 좋아하는 혀로 계속
물을 마셔야 한다
만난 적 없는 컵에서 입을 떼면
부르지 못한 물이 가득하다
모두가 공범임을
모르니까
틀렸다고 말하는 이유가 많다
물보다 그릇이 더 많다
이 한 잔을 앞에 두고도
이렇게나 쉬운 말들이 많다
입은 젖어있고
차갑거나 뜨겁거나
아직은 모두가 갈증으로 증명하는 중
탈출을 포기하는 곳에서
우리는 윙크를 시작하고
출처를 알기도 전에
축축해지는 물
사람들이 모두 물을 마시고 있다

도시에서

비가 오면
모든 게 떠내려갈 것만 같습니다
집은 너무 작고
천장은 너무 낮기 때문에요

오후에는 물병을 집어던지지 않는 법에 관해 얘기했습니다
마음속으로 열까지 세고 집에 돌아갈 때
버블티 하나를 사 먹으라 일러 주었습니다

운동장 나뭇잎에서 발견한 작은 생물
눈시울은 붉은색
눈시울은 붉은색
기어갑니다

집 같은 가방을 메고
성난 아이는 느리게 자랍니다
익숙한 모양을 찾을 때까지
얼마나 많은 골목을 걸을까요

다른 날씨를 기다리며

천장에 비 떨어지는 소리를 듣습니다

나는 생존의 흔적이고

밖은 소용돌이입니다

성장통

나비는 죽었다
오 년 전 가슴 안에서

탈피하는 것일까
세상이 하나로 보인다

십 년 전 책을 옆에 끼고
어린 내가 한 무더기 지나간다

눈이 마주쳤을 때
어떤 시대는 끝이 난 것을 알았고

익숙한 거리 끝에선
죽음만이 영원할 거라는 예언과

흔들리는 순수는
가장 많은 조의를 받을 무덤

비닐봉지를 들고 가는 길
누군가의 부고를 들으며

생존 수영

"수영은 생존하기 위해 시작됩니다"
누군가의 말에 긴 생각에 잠긴다
레일을 따라 구명조끼를 입은 아이들이 물장구를 친다
투명한 물결이 양말 벗은 내 발등 위로 밀려온다

사는 일은 어떨 때는 몸을 뒤집어 내야 하는 행위다
반만 몸을 치켜뜨는 발버둥이다
아이들은 뒤집고 다시 뒤집으며 물에 뜨려 한다
"시에서 아무것도 발생하지 않았어요"
창작 수업에서 들은 혹평에 균형이 휘청이고
맞습니다 저는 아무 일도 일어나지 않게 하려고 평생을 바쳐온 사람입니다

나비는 십 년 전쯤 죽었고 내게 카메라를 빌려줬던 고모부는 삼 년 전쯤 죽었고
장례식장에 조문하러 간 내 얘기가 고모들 사이에 미담처럼 돌았고
대학을 갓 졸업한 사촌 동생을 축하하기 위해 뷔페에서 모였고 얼마 후 큰고모는 내게 30만 원을 부쳐왔던
가족을 나는 더 할 말이 없어 내 시에서 빼기로 한 지도 오래다

더는 바라는 것도 없이
삶은 생존을 닮아서
떠 있는 한은 서로서로 얼굴을 보며 위로할 수 있다

뉴스는 매일매일 죽는 사람들을 알리고
세계는 매 순간 중력으로부터 생존하는 중인데
전쟁을 시작한 그놈을 죽이면 될까? 동조한 그 정당 놈들을 죽이면?
누군가에겐 의심하느라 다 보낸 하루가 누군가에겐 확신에 찬 미래이고
비행기를 타고 도망친 세계 끝 해변에선
사람들이 비키니를 입고 튜브에 끼인 채 하루 종일 바다를 떠다니고 있었는데

“선생님 캐러멜 하나만 더 주세요”
집으로 돌아오는 버스 안에서 먹은
작고 네모난 게 너무 맛있어서 자꾸만 입에 침이 고인다
어린애들과 작고 단것을 나눠 먹는다고
이제 와 물에 불은 쪼글쪼글한 살이 펴질 리는 없을 테지만
산다는 걸 멈추지 못해 필사적으로 휘적거리는
발버둥도 수영이라 이름 붙일 수 있다면

정면(正面)

어떤 방은 무덤 같다
여름은 호상(好喪) 같고

왜 꿈은 기어코 나를 이기고 태어나는지

질문하면
투명한 새들이 부서져 내렸다

가끔은 그것을 견딜만한
환상이라 여겼다

노래는 목소리를 알기 위해 시작됐다
춤은 육체를 얻게 될 거란 예언이 좋았고

길에서 주운 유리 돌이
찡그리며 자신의 이름을 말해줄 때도 있었다

생활은 매번 골목을 스쳐 간 우체부 같아서
허둥지둥하며 뒷모습을 쫓곤 하지만

나는 가끔 그 모든 오배송된 상자들을
가망(可望)이라 발음해 본다

내가 아닌 목소리로 말해지는 날들과
침묵하는 파도와
성난 관중 사이로

빗금들이 어긋나기 시작하면
비로소 땀 흘리는 암벽등반 선수의
앞모습을 상상할 수 있다

벽을 마주하면
내가 가장 넓어지는 모양

세계의 끝 모서리로
우르르 쏟아진다

환상 도시

소리 지르며 발버둥 치는
꿈들이
찢긴 시간을 만들어내고

어제는 길을 걷다 사람들의 행렬
이 도시는 거대한 촛불 같다

산 이는 죽음에 가까워지고
죽은 이는 삶을 드러나게 하는 곳에서

가장 불타오르는 형체들이

몇 개의 골목은 지나갈 수 없었다
그럴 때마다
도시가 감추고 있는 것들이 태양 아래 한꺼번에 쏟아졌고
이내 녹아내려 알아볼 수 없

몰두한
절벽에는 수천 번의 손톱자국

간밤의 비는 퍽 낭만적이었다
온 세상의 책이 불어 떠다녔다

미래가
죽여지지 않는다
타다 만 성냥개비처럼
발치에 쌓인다

나는 문득 유령 같고

우리들의 합창은 죽은 할머니의
주문 같고
영원히 끝나지 않는
광채 같고

중력 쓰기

그림자가 나를 당긴다

엎어지면 닿을 듯이

여기는 가장 먼 둘레

내가 나를 이해하고

나의 지구를 껴안을 때

밖을 상상하면 아무것도 떠오르지 않고

나는 나의 나머지인가

내가 살게 될 시간과

나를 일으키는 박수 속에서

다 타버린 빛에서

첫 번째 발바닥을 갖게 되었다

고요히 돌아가는 중심은

사방의 풀을 일으켰다

이것이 지구의 식물이다

풀의 목록을 하나씩 세는 일은

혀가 잘리고 손가락이 뭉개지는 일

나라는 무지의 끝까지 가보는 것

얼굴이 가장 낮은 곳에서 자랄 때까지

무릎을 꿇는다면

좀 더 많은 코를 갖게 될 것

직립보행을 하게 된 인간에게

아직 굽힐 관절이 남아 있다는 사실

인간은 자면서

시간을 생각하지 않는다는 사실

이렇게 많은 다리가 넘어지지 않고 있다니!

엉덩이를 발음할 때

나는 빨갛게 물이 든다

다리를 떠받치는 자세를 확인할까 봐 겁이 난다

두려워 두려움의 모양인가

나무들은 두려움의 모양인가

지구가 떠오르는 방향으로

그림자는 어둡게 일어서는가

말해도 하나도 아깝지 않은 마음

돌파한다면

하나의 메시지를 갖는다면

무엇에도 짓눌리지 않고

여름을 떠받쳐 줄 수 있다면

세 잎 클로버는 네 잎 클로버

이것은 주문
나만 아는 목소리가 있어
내가 말하고 내가 들어
내가 새롭게 들어
뒷면까지 모조리 내어주는 말과

가장 큰 동작에는
중심이 거의 비어있어
생각이 없지
폭풍전야지
비를 부르고 천둥을 부수는 동안에도
옷을 다 벗은 이는 꿈쩍 않지
사람들은 모두 등을 돌리지
내게 이빨을 보이고는
차례차례 집으로 뛰어들지

내게 바다는 왜 인당수야
질식할 것 같은 파도도 없이
왜 몸을 던져
구멍을 뚫어
구멍을 뚫는 자세로 한 번만 더
바다에 질식할 것 같은 사발의 둘레를

벌컥벌컥 들이켜보자

사람은 멀고 생각은 가깝다

현실은 멀고 진실은 여기서 가깝다

인간의 옷이라는 함정

지구라는 궤도

고이고 고인 물에 흐르는 눈물도

염전까지는 얼마나 먼지

유리는 유리의 모양을 갖고

유리까지는 멀고

투명한 유리는 핏빛 손가락과도 가깝고

아무리 깨도 들리지 않는 리듬과 함께

성대를 망치며 일어나기

시작 노트 ―✳

죄송합니다
저에게는
이별이 꼭 필요했습니다

모두가 두고 간 것들
꾹꾹 삼켜 기어코
미래로 만들었습니다

제가 저의 모양을 상상할 수 있었다는 것은
얼마나 아름다웠습니까

부모도 나라도 없이
저는 이렇게 단정합니다

노을을 바라보는 그대에게

정영주

카페 Yolk • 깃털은 눈부시게 빛나고 • 자작나무 • Sky diving
구원 • 너와 함께 춤을 • 사막 • 잔소리 • 설경 • Remember?

정영주

대구에서 태어나 이화여자대학교 사회복지 대학원에서 석사학위를 받았다.
사회 교육 강사로 오랜 기간 사람간의 관계를 이롭게 하는데 관심을 기울였다.
오랜 세월 가슴에서 익어가는 이야기를 표현하고 싶은 열망으로 시를 쓴다.
시로서 세상과 소통하고 내면을 채우고 또 비우는 작업을 한다.
저서로는 “때론 나도 사랑스런 커리어 우먼이 되고 싶다”, “서비스 기법”등 다수가 있다.

카페 Yolk

골목 안 작은 카페 Yolk에는
카푸치노와 작은 크로와상이 있어
빵 굽는 냄새와 어울리는 몽환의 음악이 흘러 나오고
아침이 되면 최면에 걸린 듯 옷을 입지
모든 중독은 나쁜 거란 너의 말에
난 '오늘이 마지막이야'라고 작게 속삭이며
입술에 닿는 진한 거품을 느끼지

골목 안 작은 카페 Yolk에는
공허한 웃음과 흐트러진 약속이 있지
커피가 갈리고, 탁탁 두드리는 하얀 소음
향기가 흩날리면 나의 커피는 완성돼
'너의 불면은 커피 때문이야. 잠을 자야 해'라고 너는 말하지만
난 오묘한 색의 뜨거운 잔을 두 손에 담으며 희미하게 웃어봐

골목 안 작은 카페 Yolk에는
게으른 휴식과 뜨거운 열정이 공존하지
커피가 아니면 일할 수도 살아갈 수도 없다고
덜 깬 두 눈으로 무거운 몸을 이끌고 오지만

이내 두 손에 커피를 들고 삶의 전쟁을 치르러 떠나

골목 안 작은 카페 Yolk에는

차갑고 뜨거운 커피가 함께 있듯

서늘한 이별과 달콤한 만남도 함께 있어

카페 Yolk에 흐린 등이 켜지면

이내 지루한 한숨과 실없는 이야기가 부끄럽게 들어나

골목 안 작은 카페 Yolk에는

지금도 나를 기다리는 그대가 있지

깃털은 눈부시게 빛나고

넌 깃털처럼 가벼웠어
하늘이 준 아름다운 선물
가슴 깊숙이 칼에 찔리는 아픔 같은 사랑
그건 처음 느낀 감정이었어

조그만 입에서 풍기던 옅은 젖 내음
그 냄새가 좋아 맡고 또 맡았어
네가 흘리는 맑은 침을 맛보곤 했어
너의 작은 내복이 귀여워 살짝 벗겨도 보았어
네 코를 잡고 찡그리는 얼굴에 웃고 또 웃었어

모든 게 서투르고 무지한
세상에 서지도 앉지도 못한 미숙한 내게
넌 온몸으로 생명을 맡겼어
네가 엄마라 날 불러 준 순간 난 너와 함께 빛나기 시작했어

가볍고 빛나는 깃털을 가진 넌
나의 스승이자 수호천사야
너를 통해 사랑을 배웠고
인내하며 성숙하게 되었어

내가 넘어질 때마다
넌 나의 버팀목이 되어주고
쉴 수 있는 그늘이 되어 주었어
내 어떤 허물도 네 앞에선 부끄럽지 않아

언제나 빛나는 깃털을 가진 넌
눈부시게 아름답지
너의 깃털은 내 눈에만 보이지
너와 난 떼어낼 수 없는 끈으로 엮여
난 너의 날개로 함께 날아갈 수 있어

깃털이 눈부시게 빛나는 넌
세월이 지나 수염이 자라도 내겐 처음 그대로 어린 아기지
내 다리를 부여잡고 안아 달라던 어린 아기지
신과 세상 모든 이들이 아는 비밀
천사의 선물로 내게 맡겨진 너는
깃털이 눈부시게 빛나는 작은 천사 나의 아들이지

자작나무

사랑하는 방법을 모르는 네가 싫어서
사랑할 줄 밖에 모르는 내가 싫어서
무작정 걷고 걸었다

얼음 같은 쨍한 아픔에 발가락을 꼬물거렸다
코끝을 스치는 파아란 그리움
고통은 참는 것이라 배운 적 없지만
그 심연에 깊숙이 몸을 담궜다

세포 하나하나 뜨거운 사랑이 흘렀었다
가슴 가득 채워졌었다
분명히 그랬었다

뺨을 적시는 눈물
흔들리는 자작나무를 바라 보았다
가지 하나하나 슬픔에 젖어 있었다
하얀 껍질을 벗겨낸 상처에 속살이 드러나 있었다
어디에도 너는 없고
허무한 기억만 메마른 가지에서 흔들렸다

외로운 내가 미워서 그렇게 만든 네가 미워서
자작나무 숲길을 걷고 또 걸었다
해답이 없어 당황한 마음 감추려
숨차게 뛰어도 보았다

갑자기 살아있는 모든 것이 싫어져서
그런 내가 싫어져서
바람에 흔들리는 자작나무를 탓했다.

Sky diving

새는 안전한 둥지에서 날겠다고 결정하는 순간
이미 비상은 시작된 거야
넌 그걸 추락이라 하지만 난 날고 있는 거야

낙하보다 그 시간이 다가오는 순간들을 기억해
공포와 설렘이 동시에 온 몸을 스치고
이상하게 자꾸 웃음이 나왔어
그 곳에 머무를 순 없었기에 나는 날아 올랐어

찰나라는 두려움을 느낄 틈 없는 시간
그 시간이 지나면
나는 다시 태어나 하늘을 날고 있지
분명 그건 추락이 아니야 날고 있는 거야

나는 잠시 새가 되고 지상으로 다시 돌아가고 싶지 않아
지상의 모든 것들이 의미 없게 느껴져
새가 된 난 부질없는 욕망과 한 줌 고민을 던져 버려

날지 못하면 새가 아니듯
도전하지 못하면 내가 아니지

두려워 뛰어 내리지 못하면 날지 못하듯
용기내지 않으면 아무것도 얻지 못하지

네 가슴이 말하는 아름다운 가치를 고백해
네 몸에 무수한 상처가 남더라도 용기내 사랑을 선택해
보이는 것이 전부가 아니고
말하지 않는다 해서 존재하지 않는 건 아니야
다시 한번 비상을 꿈꿔봐

구원

피곤에 지친 발걸음으로 걸어간 그곳에
그가 서 있었다
누군가를 찾는 듯, 작은 꾸러미를 꽉 쥔 그의 뒷모습
앙상한 어깨에 걸쳐진 자켓에 외로움이 배어있었다
나만이 느낄 수 있는 익숙한 외로움
바싹 마른 스펀지가 떠올랐다

화려한 야경과 와인 앞에서 난 내내 배가 아팠다
불행에 짓눌린 내 모습 감추려 여유 부리며 유쾌한 척 했다
그는 "오랜만에 걱정없이 웃고 즐거운 시간을 보냈네요"라
했지만
난 얼른 집에 가 이 가면을 벗고 싶었다

난 그때 그를 알아보지 못했다
그가 나의 구원이라는 걸 그때는 전혀 알지 못했다
알았더라면, 그에게 더 환하게 웃어 주었을까?
덜 어색하고 더 편안함을 느꼈을까?
아니면 왈칵 눈물을 터트리며 왜 이제 온 거냐고 원망했을까?

당신 옆의 무심한 이들이 구원이 될 수 있다는 걸

이제는 알아야 한다
구원은 사람이라는 것도, 당신도 누군가의 구원이 될 수 있다는 것도
이제는 알아야 한다

이제 난 그대의 구원이 되리라
그대가 눈치채지 못하게 늘 불친절한 얼굴로
당신 옆에서 슬쩍 구원이 되어 주겠다
당신이 필요로 할 때마다 불평하며 나타나 구원이 되어 주겠다
훗날 내가 구원이었다는 걸 당신이 알게 되는 날
살가운 웃음으로 고개를 끄덕여 주겠다
우린 서로의 구원이 되리라.

너와 함께 춤을

춤을 추고 싶었다. 자유롭게
기쁜 노래에는 슬픈 몸짓으로
슬픈 노래에는 기쁜 몸짓으로

아무도 없는 곳에서 너와 춤을 추고 싶었다
눈을 감고 너와 하나가 되어 하늘을 날아오르고 싶었다
나를 놓아버리고 싶었다
"세상은 나를 알지 못해"
나는 너의 귀에 속삭였다
나의 가쁜 숨소리에 넌 어색한 미소를 지었다

너와 춤을 추고 싶었다
춤을 추며 나를 잊고 너를 잊고 싶었다
빙글빙글 돌며 네 손을 놓아버렸다
멈출 수 없는 발바닥에서 슬픔이 흘러내렸다

'이 음악이 끝나면 난 떠나갈 거야.'
'즐겁게 춤을 추며 떠나갈 거야'
차마 그 말을 못해 춤을 추었다
오래된 갈증이 폭포가 되어 쏟아져 내렸다

손바닥에서 붉은 아픔이 돋아났다
난 아픔에 손을 휘이 저어 춤을 추었다

이제는 춤을 멈출 수 없어 돌고 돌았다
돌고 돌며 흐르는 눈물을 감추었다
마음 속 어떤 끈이 '툭'하고 떨어졌다

사막

겁도 없이 덜컥

시를 쓰기로 했다

내 가슴에 시가 남아 있을까?

설렘도 슬픔도 없다

눈물 한 방울 남지 않는 사막 같은 내 가슴

그렇지! 방법은 하나

사막에 대한 시를 쓰는거야!

뜨거운 열정으로 자신을 갈아버린 모래바다

그 사막에는 비밀이 숨어있어

사막에 바람이 불면 내 부끄러운 과거와 아픈 상처를 덮어 버리지

매일 다른 모습으로 변한 사막에서 우리는 길을 잃고 말지

그렇지만 용기를 내!

사막 어딘가 있을 오아시스를 찾아 떠나!

오아시스를 찾으면 시를 쓸 수 있을 테니까

오아시스에서는 푸른 추억에 대해 노래할 수 있으니까!

야자수처럼 푸르렀던 젊은 날, 첫사랑의 그 터질 듯한 열정이 떠오를 거야

사막에 바람이 불어오면, 내 아픈 기억과 하얀 그리움도 시가 되겠지
사막에 해가 저물면, 우리 노년의 황망한 쓸쓸함도 시가 될 거야

겁도 없이 덜컥
시를 쓰기로 했다
시와 사랑을 하기로 했다.

잔소리

차를 탈 때는 머리부터 타야 해
시동부터 걸고 안전벨트를 메라고
뚜껑 안 닫는 버릇, 평생 못 고치지?
그렇게 맛있어? 안 뺏으니 천천히 먹으라고
나 아니었으면 지금쯤 코끼리가 되었을 거야. 고맙게 생각해!

흥이 나도 몸을 흔들면 안되지
쓸데없이 웃지마, 가식적으로 보이잖아
큰 머리 강조하려고 파진 옷 입은 거야?
서류는 말지 말고 펴 놔! 서류에 대한 예의야

죽도록 나를 사랑하는 당신은
죽도록 자기 방식을 고집하지
자신 아니면 인간 구실 못했을 거라 철석같이 믿고있지

나를 사랑한다는 이유로 쏟아지는 너의 금과옥조
내 귀엔 잔소리

당신은 안타까워 알려 주는 거라지만
내 귀엔 잔소리

나 말고 세상 누가 이런 말 해주겠냐 하지만
내 귀엔 잔소리

네가 무슨 짓을 해 봐라
내가 널 사랑 안하나.

설경

하늘에서 욕망같은 눈이 내린다
눈은 온몸을 던져 나에게 다가온다
내게 닿는 순간 사라져 버리는 너

먼 곳 가득 여기 있다 소리쳐도
널 두 손 가득 담으면 아픔만 주고 눈물이 된다
그럼에도 네가 와 주기를 하늘을 보며 밤새 기다린다

무릇 살아 있는 것은 사랑 받아야 한다고
넌 차가운 욕망을 드러내며 매혹 했었지
능수능란한 너에게 난 수렁에 빠진 듯 추락하고 말았지
마루 유리창에 성애가 끼고 온 세상 눈으로 덮였던
햇살을 못 이기고 도망친 물 분자가 무지개로 빛났던
그 차갑고 뜨거운 밤을 기억해

너를 만나기 위해 새벽 먼 산으로 떠났다
그 곳에 나를 기다리는 네가 있다는 걸 알기에
설국에서는 너와 함께 있을 수 있기에

Remember?

당신이 그린 그림을 보고 있습니다.
그림이 나에게 말을 거네요.

당신이 좋아하던 꽃병의 해바라기와
우리가 함께 누워 바라보던 창 밖의 하늘이
그림 속에서 나를 바라봅니다.

"우리의 사랑만은 영원 할거야"
내 귓가에 입 맞추며 속삭이던
삐걱거리던 작은 침대에 우리가 손잡고 누워있네요.
그림 속의 난 눈도 입도 없지만 행복해 보입니다.

당신이 그린 그림을 보고 있습니다.
우리가 사랑했던 강아지와 밤새 통화하던 전화기를 봅니다.
슬픈 것은 아닌데 눈물이 흐르네요.
그림 속의 우리가, 그때의 우리가 그립습니다.

당신이 그린 그림을 하염없이 바라봅니다.
그림만 그리는 당신과
그림만 바라보는 먼 곳의 나
먹먹한 우리 사랑 기억합니다.

시작 노트 —✳

노을을 바라보는 그대에게

인생은 행복해야 한다고 믿었습니다.
그래서 그 많은 시행착오를 겪었나 봅니다.
문득 누구도 내게 행복을 혹은 불행을 강요하지 않았음을 깨달았습니다.
나 홀로 그저 행복하다, 불행하다 판단했던 것이지요.
비록 실패 할지라도 불행하다 결론짓지 않는다면 삶은 이미 충만한 것입니다.
이 간단한 지혜를 난 모든 것을 버리고 떠난 후에야 알게 되었습니다.

오늘도 난 떠납니다.
떠나야 자신을 온전히 바라볼 수 있기 때문입니다.
돌아올 땐 조금 더 성장해 있기를 노을을 보며 기도합니다.

나의 스치는 느낌과 깊은 기억들을 쏟아낼 방법을 찾고 싶었습니다.
시를 쓰며 잊고있던 깊은 추억과 소중한 사람을 다시 만나고 싶었습니다.

의심이 들 때면 세상에는 나와 비슷한 사람이 분명 있을 것이라 믿었습니다.

시를 쓰다 문득 창문 밖 하늘을 봅니다.
노을이 지고 있습니다.
누가 나를 바라보는 이 느낌
너무 그리우면 보이는 허상일까요?

시를 읽는다는 것은 소중한 일입니다.
시를 읽고 한 구절 기억한다는 것은 영혼의 보석을 얻는 일입니다.
나는 당신이 편히 읽고 잠시 머무르고 그리고 잊기를 바라겠습니다.
그리고 당신도 시를 쓰고 싶다면 좋겠습니다.

웅덩이 사용설명서

최지은

최지은

1992년에 태어나 태안에서 어린 시절을 보냈다. 조경을 하고 정원을 만드는 일을 업으로 하고 있다. 웅덩이를 좋아하며 관찰한다.

인스타그램: @jannecho
이메일: gieunck@naver.com

돌멩이 합창

해변에 볕이 들자
작은 돌멩이들이 무수히 모이더니
다같이 반짝이는 소리를 내요

수다스러운 그 모습이 사랑스러워
자꾸만 바라보게 되지요

까만 돌멩이는 창그랑 창그랑
회색 돌멩이는 뗑구르르
갈색 돌멩이는 슬극슬극
하얀 돌멩이는 사륵사륵

파도의 걸음질에 반짝이고
볕에 사방으로 튀기다가
까만 밤 속으로 다시 숨고
새벽이 오면 다시
창그랑 뗑구르르 슬극슬극 사륵사륵

웅덩이 사용설명서

준비물: 삽

1. 따스한 볕과 바람이 들고 나는 곳 한 켠에 자리잡는다.
2. 가진 도구를 활용하여 원하는 크기와 깊이로 흙을 덜어 낸다. 마땅치 않다면 깊고 낮은 곳을 찾아 웅덩이로 삼아도 좋다. 움푹 파이고 낮아진 곳은 알 수 없는 것들을 불러들인다.
3. 이름을 붙인다.
4. 웅덩이가 많은 것을 초대할 수 있을 만큼 오래도록 잊는다.
5. 다시 들여다본다.

도톰 모를 온갖 부스러기, 산책하던 노인의 머리카락, 말라 비틀어진 풀잎, 누군가 벗어 던진 비늘조각, 어린 새의 솜털, 구멍 난 도토리, 주인 없는 달팽이 껍질, 개미자리 씨앗, 바스러진 번데기, 남겨진 날개와 투구, 겹겹이 쌓인 낙엽과 수염, 볕에 증발하는 새벽이슬, 축축한 이끼 같은 것들을 발견하자.

*주의: 오래도록 바라볼 것, 무언가 발견되지 않는다면 4와 5의 반복을 권장.

6. 5의 과정이 익숙해졌다면 조심스레 안으로 들어간다. 함께 잠겨 보기로 한다. 잠자는 무언가를 깨울 수 있으므로 살포시 들어갈 것. 가장 낮은 곳에 자리 잡고 웅크린 다음 초대를 받은 부스러기 하나가 되어본다. 이때, 웅덩이는 가득 채워졌다 마르기를 수차례 반복한다. 권장 시간은 해 뜰 무렵부터 해 질 무렵까지, 다양한 자세로 이 과정을 반복한다.

[예제 1]

웅덩이에 이름을 붙여 보시오

예시) 오목한 웅덩이/너른 웅덩이/야무진 웅덩이/굴곡진 웅덩이/어깨만큼의 웅덩이

[예제 2]

웅덩이 사용 후 느낀 점을 100자 이내로 서술해 보시오

버들개지

물이 오르자
그는 기어코 두터운 하얀 이불 속으로
기어들어 갔다.

따스했던 어머니의 품속을 기억하듯
웅크리고는 깊은 잠을 청했다.

겨우내, 찬 바람에 흔들리며
강가를 맴돌았던 것을 잊고

언 손으로 벋던
고되었던 돌탑 쌓기를 멈추고
기어들어 갔다.

그리곤
다시 돌아오지 않기 위해
봄비를 뒤로하고
눈을 감았다.

단단하게 마른 손 위로

하얗게 센 머리칼을 쥐고

잎샘에 온 들녘 흩어질 작은 이삭으로

웅크리고는 눈을 감았다.

겨울이 끝날 무렵,

꼭 이 버들개지 같던

봄이 되어 떠난 이가 참 그립다

***버들개지**

유의어: 버들강아지, 유서(柳 버들유 絮 솜서)

[명사] 식물 1. 버드나무의 꽃, 봄이 되어 가지에 붙은 겨울눈에 물이 잔뜩 오르면 껍질을 벗고 하얀 솜털로 싸인 속살이 나온다. 색은 암자색이며 봄에 이삭 모양으로 피는데, 솜처럼 바람에 날려 흩어진다.

(고려대한국어대사전, 고려대학교민족문화연구원, 2009)

우화(羽化)

등을 굽히고
온몸을 웅크려 말아 올린다.

(   )

지금 이곳은
곧 트일 어둠이자 조각날 새벽

(   )

새어 나올 빛들을 향해
미처 말리지 못한 것들을
부지런히 틔우며
걷지 못한 체
일어설 아침

*우화(羽化)란 '날개돋이'라고도 하며 곤충이 번데기를 찢고 나오는 탈피를 통해 유충에서 성충이 되는 과정을 말한다. 특정 온도와 습도, 빛을 감지해 우화를 시작하며 번데기로부터 몸이 빠져나와 날개를 말리는 과정에서 많은 개체가 공격을 받아 죽거나 외부자극으로부터 장애를 가지기도 한다.

**(　　　　): 번데기의 주인에 따라 다른 형태와 우화의 과정을 거친다.

당신을 사랑하는 법

사랑스러운 나의 밤색 고양이는
부스스한 머리를 쓸어 넘기고
집을 나선 당신을 기다립니다.

당신을 기다리는 하루는
두어 번 눈을 뜨고
현관에 한 번
볕이 든 창문에 한 번
거닐고 오다가 잠드는 일입니다.

어둠에 잠길 적
멀리서 들려오는 발자국 소리에
마중 나가는 일입니다.

그리운 손길에 고개를 갸웃이며
그 곁에 가만히 앉아
다시 졸고 조는 그런 일입니다.

창문 앞에서

현관 앞에서

어떤 조각들-수용성

나의 슬픔과 외로움은 정말이지 수용성이라, 당신을 만난 기나긴 하루의 끝이면 나는 매일 밤 물속에 잠기곤 해요. 오래 묵은 것들도 따듯한 물에 담구어두면 곧 떨어져 나가는 법이거든요. 때로는 밤새도록 흘려보내기도 합니다.

아침이 오면 언제 그런 일이 있었냐는 듯 아무렇지 않게 물기를 수건에 털고 전기난로에 뽀송하게 말려 밖으로 나서곤 합니다.

어떤 조각들-불용성

때로는 녹지 않는 것들도 있는 법입니다. 이들은 집결하고 응고하여 나도 모르는 무게를 가져버리곤 저 아래로 가라앉아버립니다. 어떤 조각들은 그 생명이 끈질겨 돌아오는 계절마다 아름다운 공기 방울이 되어 떠오릅니다.

잠 못 드는 밤이면 까마득한 심해에서 떠오르기 시작해 마침내 형태를 갖추고 파도가 되어 밀려오니 나는 곧 잠기고 맙니다.

8월의 여름, 기차에 내려 신발을 벗고 밟았던 차가운 대리석 타일의 감촉, 비를 피하기 위해 우연히 들른 낡은 카페에서 듣던 빗소리, 커피를 내어주던 노인의 미소, 검은 개의 조각상, 베를린으로 떠나던 섬 같이 큰 배의 고동소리, 짠바람이 흘러대는 바닷가의 차디찬 모래알과 까만 밤의 까만 빠에야, 오래도록 걸으며 함께 마셨던 새벽녘 공기

파기(破器)

1

사기그릇은 완벽했다.

광택이 맴도는 고운 빛깔, 둥그렇다 못해 복스럽기까지 한 이 그릇은 찬장의 자랑이자 나의 기쁨이었다. 이 둥그런 그릇은 무엇이든 잘 담아내었으며 담아진 것을 돋보이게 하는 역할을 훌륭히 해내었다.

2

어느 날, 그릇은 답답함을 느끼고 말았다. 모두가 잠든 밤, 단단했던 옆구리에 작은 틈을 만들어 몰래 소리를 내어보았다.

쉬—이 쉬—이
혼자만 알 수 있는 조용한 소리로
쉬—이 쉬—이

기쁨의 소리일까, 해방의 소리일까.
틈으로 새는 줄도 모르고
밤이 새도록 비웠다 담았다.

3

아침이 오기도 전이었다.

이것저것 새 나온 것들이 마구잡이로 섞이더니

까마귀 같은 그림자를 만들어

그릇을 삼켜버리고 말았다.

4

나는 이따금 삼켜진 그릇을 떠올리며

쉬—이 쉬—이

그만한 그릇은 없었다며

쉬—이 쉬—이

몰래 듣던 소리를 흉내내며 그리워했다.

모래와 수구

유난히 달이 밝던 새벽의 시간
물이 말라 가늘어진 강줄기의 기다란 축 한 켠에
단단히 박힌 잿빛의 수구를 보았다.

고래의 벌린 입처럼 거대한 콘크리트파이프는
단숨에 쌓아 올린 산을 헐어버릴 기세로
안에서 밖으로 끝없이 모래를 쏟아낸다.
급기야 모래로 강을 이룬다.

커다란 바위에 부딪히며 부서지는 모래알
모래알 사이로 튀어 오르는 1척의 모래무지
모래무지를 쫓는 번쩍이는 왜가리
왜가리의 발끝 닿는 곳마다 들불처럼 번지는 버드나무
버드나무의 여린 가지를 쥐어 잡고
재빠르게 휘감는 쥐방울덩굴
넝쿨 사이로 산들거리며 날아오르는 꼬리명주나비
나비를 따라가는 나의 아이
아침이 오자 아무것도 남아있지 않았다.
그저 반짝이는 몇 알의 모래 부스러기가
발에 밟히는 까닭에 아는 것이다.
지난밤 저 파이프가 무언가 무수히 토해 냈음을

게

모래 위로

납작 엎드려 있었다.

보이는 건 바위 하나, 지층의 무늬, 거품, 물보라

들어올려진다-

지상의 천국으로

다이빙

정적,

그리고 엔딩

시작 노트 —✳

눈을 마주해야 보이는 작고 소중한 것들로 하여금

나는 웅덩이가 됩니다.

나에게 시를 쓴다는 것은 이 웅덩이를 비추어보는 일입니다.

이 기한 없는 탐구의 끝으로 나의 글은 이 웅덩이의 바닥에서 어디까지 가닿을 수 있을까요

함께 타고 흐르는 별빛

발행 2024년 5월 10일
지은이 김도연, 김윤선, 김태정, 나슬기, 서도연, 양요한, 이정원, 정영주, 최지은
라이팅리더 차유오
펴낸이 정원우
펴낸곳 글ego
출판등록 2019.06.21 (제2019-000227호)
주소 서울특별시 강남구 강남대로 118길 24 3층
이메일 writing4ego@gmail.com
홈페이지 http://egowriting.com
인스타그램 @egowriting

ISBN 979-11-6666-480-9